P9-DBR-312

D.L. B-28.065-05
Imprimé au Espagne

Les Habits Neufs

de l'Empereur

Illustré par Graham Percy

PERALT MONTAGUT EDITIONS

C'est ainsi qu'ils arrivèrent au palais d'un grand Empereur.

Mais vous devez savoir que ces deux individus n'étaient pas de vrais tailleurs mais plutôt des escrocs.

Ils trompaient les gens et leur soutiraient de l'argent en leur donnant très peu ou rien en échange.

L'Empereur fut ébahi quand les deux imposteu dirent que le beau tissu qu'ils allaient utiliser pas seulement raffiné mais aussi magique.

«H
«Je
qui

On don
deux ta
pour tra
beaucou
leur dit d

Si quelqu'un était stupi
qu'il était en train d'e
distinguer l'étoffe.

mm, ce serait très pratique», pensa l'Empereur. pourrais ainsi savoir qui est sage, qui est sot et ne mérite pas son travail au palais.»

na donc aux lleurs une salle vailler ainsi que d'argent et on commencer.

Il était une fois deux tailleurs qui voyageaient à travers le monde et se consacraient à la confection des habits pour les gens riches et puissants.

Deux ou trois jours plus tard l'Empereur envoya le plus fidèle de ses vieux ministres pour voir où en étaient les tailleurs. Le vieil homme regarda dans la pièce et vit qu'elle était complètement vide et qu'il n'y avait rien du tout sur la table!

Il entra, alors les deux tailleurs écartèrent les bras
sur la table et demandèrent:
«Qu'est-ce que vous pensez de ces magnifiques
couleurs et de ces merveilleux dessins?»
Le vieux ministre pensa:
«Peut-être suis-je un sot et ne suis-je pas digne
de la confiance de l'Empereur.»

«Oh, merveilleux, charmant…»,
dit, plein d'enthousiasme, le vieil homme en regardant de très près la table vide.
Et ensuite, lorsque les deux fripons décrivirent chaque dessin et chaque couleur en détail, le vieux serviteur se souvint de chaque mot, si bien, qu'au moment venu, il put tout décrire parfaitement à l'Empereur.

Alors, les deux fripons demandèrent plus de fil d'or et plus de soie fine pour tisser un peu plus de drap magique.

L'un des officiers supérieurs de l'Empereur apporta le tout dans la pièce où, bien sûr, les deux individus semblaient être durement à l'ouvrage.

«N’est-ce pas magnifique?» demanda l’un des imposteurs en levant les bras sur lesquels ne reposait rien du tout!
«Je sais que je ne suis pas un sot», pensa l’officier, «C’est donc que je suis impropre à commander la garde du palais!
C’est très étrange quoique…»

Et tout en pensant cela, il les vanta tous les deux pour leur extraordinaire habilité et se précipita chez l’Empereur pour lui conter quelle belle étoffe les deux tailleurs étaient en train de tisser.

A ce moment-là, même dans la ville la plus proche du château, les gens commençaient à murmurer au sujet du superbe tissu magique destiné à vêtir l'Empereur. Et l'Empereur décida qu'il aimerait bien voir de ses propres yeux le magnifique tissu avant qu'on ne l'assemblât.

Ainsi, accompagné d'un groupe de courtisans,
il regarda dans la salle.
«Je ne peux rien voir», pensa-t-il;
«c'est terrible! Suis-je un sot?
Ne suis-je pas apte à être Empereur?»

Mais, se dirigeant vers la table, il leva les bras en
l'air plein d'enthousiasme et s'écria:
«Magnifique! Superbe! Excellent!»
Et tous les courtisans, nerveux, se joignirent à
l'Empereur pour dire la même chose que lui.

Après, l'Empereur les prit tous les deux à part et leur dit que ces magnifiques habits devaient être prêts pour la procession qui allait se dérouler en ville le lendemain. «Travaillez toute la nuit si nécessaire», dit-il et il leur donna plusieurs paquets de bougies à brûler.

Les deux fripons utilisèrent bien sûr toutes les bougies et chacun au palais put voir la lumière de leur atelier briller toute la nuit. En vérité, bien entendu, les deux fripons ne faisaient rien d'autre que somnoler
dans un coin.

Au lever du jour, ils s'écrièrent: «Maintenant les nouveaux habits de l'Empereur sont prêts!» L'Empereur et ses courtisans se précipitèrent dans la salle.

«Sire, veuillez enlever vos habits et vous placer devant le miroir», susurrèrent les deux imposteurs en faisant la révérence.

Et quand l'Empereur fut devant le miroir complètement nu, les deux fripons firent comme s'ils étaient en train d'ajuster des choses autour de sa taille et de défriper la soierie sur son dos.

«Ces vêtements sont aussi légers qu'une toile d'araignée», murmurèrent-ils à l'Empereur. «On pourrait penser que l'on n'a rien dessus!»

«Quel splendide vêtement! Comme sa Majesté semble belle dans sa nouvelle mise!» s'écrièrent

les gens tout autour. Ils n'osaient pas laisser paraître qu'ils ne pouvaient rien voir du tout.

Ils descendirent donc tous les escaliers
et sortirent dans la rue. Il y avait quatre
courtisans qui portaient un baldaquin
au-dessus de la tête de l'Empereur
et deux autres qui faisaient
comme s'ils soutenaient
la longue traîne
qu'il tirait
derrière lui.

Tout le monde dans la rue et aux fenêtres s'exclama: «Comme les nouveaux habits de l'Empereur sont beaux! Quelle magnifique traîne!»

Personne ne voulait perdre son travail et personne ne voulait être traité de sot.

Jusqu'à ce qu'un enfant s'écriât:
«Mais il est tout nu!»
«Oh l'innocent petit garçon», dit son père.

Mais soudain tous les gens commencèrent
à chuchoter en même temps puis à crier:
«Mais il est tout nu!»

L'Empereur soupira en son for intérieur car il savait que c'était vrai. «Mais la procession doit continuer», pensa-t-il et c'est ainsi qu'ils poursuivirent leur chemin jusqu'au bout, les courtisans et l'empereur continuant à feindre.